De Effies

In de aanval

AVI nieuw: E3
AVI oud: 2

Zesde druk 2008

ISBN 978 90 269 9757 0
NUR 287
© 2003 Uitgeverij Van Holkema & Warendorf,
Unieboek BV, Postbus 97, 3990 DB Houten

www.unieboek.nl
www.viviandenhollander.nl
www.saskiahalfmouw.nl

Tekst: Vivian den Hollander
Tekeningen: Saskia Halfmouw
Vormgeving: Petra Gerritsen

Vivian den Hollander

De Effies
In de aanval

Met illustraties van
Saskia Halfmouw

Van Holkema & Warendorf

Bas kijkt op de klok.
Hoe laat is het?
Tien uur al.
Tijd om naar het veld te gaan.
Hij pakt zijn tas.
Zit alles er in?

Nee, zijn broek nog niet.
En die kan hij niet missen.

Bas speelt bij de Effies.
Bij de Effies van R.V.C.
Met Jordi, Frank en Koen.
Milan en Rik doen ook mee.
Ze zijn dus met zijn zessen.
'Dat is niet veel, mannen,'
zegt Kees vaak.
Kees is de leider van F3.
Hij noemt hen altijd mannen.
'Er zou er een bij moeten.'
Maar Bas vindt zes goed.
'Wij zijn sterk genoeg,' roept hij
dan.
Dat is waar.
De ploeg van Bas wint vaak.

'Dag mam,' zegt Bas.

'Ik ga, hoor!

Kom je kijken?'

De mama van Bas knikt.

'Wat dacht je?

Ik sta langs de lijn.'

Bas loopt de straat uit.

Het is niet ver naar het veld.

Hij mag er zelf naar toe.

'Hee Bas,' hoort hij dan.

Als Bas omkijkt,

ziet hij Frank.

Hij gaat ook naar het veld.

'Kijk eens wat ik heb?'

Frank laat zijn schoenen zien.

'Ik heb ze nog maar net.

Mooi zijn ze, hè?'

Bas knikt.

Die schoenen zijn echt mooi.

Zwart met rood.

Zulke zou hij ook wel willen.

'Zie je die noppen?' zegt Frank.

'Zo kan ik nóg harder rennen.

En nóg sneller schieten.

En dat moet ook.'

'Ja,' zegt Bas.

'Dat moet echt.'

Als ze bij het veld zijn,
is het er nog stil.
Alleen Kim rent rond
met een bal.

Bas kent Kim wel.
Haar broer speelt bij de E.
Daarom is zij er vaak.
'Hoi,' zegt Kim.

Bas steekt zijn hand op.
Maar hij zegt niks.
Want op het veld hoort hij bij
de Effies.
En bij de Effies hoort geen meisje.
Bas gaat snel naar binnen.
Vlug kleedt hij zich om.

Kees kijkt naar zijn mannen.
Hun schoenen zijn gestrikt.
De kousen zitten recht.
Ze hebben er zin in.
'Klaar?' vraagt Kees.
'Ja!' roepen de Effies.
Kees lacht.
'Goed, daar gaan we dan.
En denk er-an:
we hakken ze in de pan!'
Dat rijmpje zegt hij vaak.

Ze gaan naar het veld.

De zes mannen en hun leider.

De scheids is er ook al.

Eerst rennen ze het veld rond.

Zo worden de spieren warm.

Dan gaat Jordi in het doel.

Bas zoekt zijn plaats op.

Daar komt de andere ploeg.

Zo, denkt Bas.

Die zien er sterk uit!

En Bas krijgt gelijk.

Ze zijn sterk.

Heel sterk zelfs.
Ze hebben vaak de bal.
Jordi kijkt bang.
Nerveus staat hij in het doel.
Hij hupt naar links.
Hij springt naar rechts.
'Haal weg die bal!' gilt hij.
'Ja,' roept Kees.
'Haal weg die bal.'

Bas doet zijn best.
Frank doet zijn best.
Alle Effies doen hun best.
Maar niks helpt.
Daar gaat de bal.
Recht op het doel af.
Jordi neemt een duik…
Mis.

De bal zit.
De scheids fluit.
Het is al snel één-nul.
Bas kreunt.
'Oef, dit gaat niet goed!'

Het spel gaat door.
'Vooruit Bas!' roept mama.
'In de aanval!' gilt Kees.
Bas doet zijn best.
Vaak heeft hij de bal.
Maar vaak ook niet...
Zijn kousen zakken af.

Zijn schoen zit los.
Zijn hoofd is rood.
'Toe Bas!' gilt Kim.
'Schiet die bal in dat doel!'
'Ja Bas,' roept Kees.
'Laat zien wat je kan.'
En Bas rent en rent.

Maar opeens…
Pats, daar gaat Bas.
Hij struikelt.
Plat op zijn buik ligt hij op het
veld.
Wat een pech, denkt Bas.
Wat stom!
Ik was vlak bij het doel.
Hij kijkt naar de bal.
De andere ploeg rent er mee weg.

Frank kan er niet meer bij.
Het wordt twee-nul.
'Oef,' kreunt Bas weer.
'Nu gaat het echt mis!'

Het is rust.
De ploeg van Bas drinkt thee.
Thee met veel suiker.
Daar word je fit van.
'Twee-nul,' mompelt Bas.
'Hoe kan dat nou?
Wij zijn toch altijd sterk?'
Kees knikt.
'Dat zijn we ook.
We hadden gewoon pech.
Straks komt onze kans.'
Hij kijkt zijn mannen aan.
'Luister goed.

16

We gaan zo flink in de aanval.
Bas, jij staat weer spits.
Lukt dat?'
Bas knikt.
'Ik knal die ballen het doel in.
Ik beloof het!'
'Mooi,' zegt Kees.

Dan wijst hij naar Milan en Koen.
'Jullie staan achter.
En Rik is mid, net als Frank.
Let goed op elkaar.
Dan moet het lukken.
Zijn we klaar?'
Koen trekt zijn kousen op.
Bas strikt zijn schoen goed vast.

'Oh nee!' hoort hij dan.

Het is Frank.

Hij zit nog op de bank.

'Ik hoop dat ik mee kan doen.

Kijk eens wat ik heb?'

Frank trekt zijn schoen uit.

En ook zijn kous.

Op zijn hiel zit een flinke blaar.

'Is er geen wissel?'

Kees schudt zijn
hoofd.

'We zijn maar met zes.

Je moet echt mee.'

Frank zucht diep.

De rust is voorbij.

De Effies gaan het veld weer op.

Frank hinkt een beetje.

De knie van Jordi doet pijn.

Maar hij zegt het niet.

Daar komt de andere ploeg.

Ze zien er fris uit.

Het spel begint.

Koen krijgt de bal.

Hij speelt hem door naar Frank.

En daar gaat Frank.

Hij rent zo snel hij kan.

Hij raakt de mat bijna niet.

'Heel goed!' roept Kees.

'Ga zo door.

En schiet de bal naar Koen.

Want die staat vrij!'

Frank rent en rent...

'Au!' gilt hij opeens.

'Au, au!'

Bas kijkt verbaasd opzij.

Kreeg Frank een duw?

Of een schop?

'Ik kap ermee!' roept Frank dan.

21

Hij zakt neer, midden op het veld.
'Het lukt echt niet.
Mijn voet doet heel erg pijn!'

Vlug trekt hij zijn schoen uit.
Hij let niet meer op de bal.

Het spel wordt gestopt.
Daar is de mama van Bas.

Zij heeft een emmer bij zich.

En ook een spons.

'Doe je kous eens uit,' zegt ze.

'Dan maak ik je voet nat.'

Frank kijkt bang.

'Nee, mijn kous blijft aan.

Die blaar doet veel te veel pijn.

Ik wil alleen wat op mijn hoofd.

Dat is lekker koel.'

De scheids denkt na.

'Wat nu?' zegt hij dan.

'Is er een wissel?'

Kees schudt zijn hoofd.

'We zijn maar met zes.'

'Dat is niet veel,' vindt de scheids.

Hij tuurt het veld rond.

Achter het doel ziet hij Kim.

Ze houdt net een bal hoog.

'Hee, jij!' roept hij dan.

'Kun jij niet meedoen?'

Kim knikt.

'Ik wil wel, hoor.'

Bas zucht diep.

Zijn vrienden ook.

Komt Kim in het veld?

Dat wordt vast niks.

Maar Kim kleedt zich al om.

De andere ploeg lacht.

'Ha, ha.

Een meisje erbij?

Nu winnen wij zo!'

24

Maar daar gaat Kim.
Ze schiet over het veld.
De bal kleeft aan haar voet.
Bas kijkt verbaasd.
Die Kim.
Ze is heel erg goed.

'Let op!' roept Kees dan.
'Achter die bal aan, Bas.'
Net op tijd ziet Bas zijn kans.
Kim geeft een voorzet…
Pang!
Bas knalt de bal het doel in.

Alle Effies juichen.

Het is één-twee!

En vlak erna is het twee-twee.

De andere ploeg kijkt sip.

Een van hen wordt

zelfs kwaad.

'Die rot-meid,'

gromt hij.

'Waarom moest zij erbij?

Straks winnen ze nog!'

En hij krijgt gelijk.

Want in de laatste minuut…

Opeens is daar de bal.

Vlak bij het hoofd van Kim.

Ze springt op.

Zjoeffff!

Daar gaat de bal.

27

Zo in het doel.
Net op tijd,
want de scheids wil al fluiten.
'Jes!' gilt Bas.
'Het is drie-twee.
Wij zijn winnaar!'

Bijna vliegt hij Kim om haar nek.
Bijna...
Net op tijd bedenkt hij zich.
Want dat is toch wel gek.
Kim hoort niet eens bij de Effies.
Snel steekt hij zijn armen in de
lucht.

Juichend rent hij over het veld.
En Koen en Milan en Rik?
Die hollen met Bas mee.
Jordi en Frank blijven in het doel.
Maar ze zijn ook dolblij.
'Kom eens!' klinkt het dan.
Kees wenkt zijn ploeg.
Hij laat ze in een kring zitten.

Kim is er ook bij.

Ze krijgen een ijsje.

Dat hebben ze verdiend.

'Luister F3,' zegt Kees dan.

'Heel goed gespeeld.

Ik ben trots op jullie.

Maar... zes man is niet genoeg.

Dat snappen we nu.

Er moet er echt één bij.'

Bas knikt.

De rest knikt ook.

'Maar wie?'

'Ik weet wel iemand,' zegt Kees.

'Wat vinden jullie van Kim?'
Kim?
Het blijft een tel stil.
Tot Bas roept:
'Ik vind het goed.
Want Kim heeft ons gered.
Zij is een kanjer!'
'Dus?' vraagt Kees.
'Speelt Kim voortaan mee?'
'Ja!' gillen de Effies.

Dit zijn de boeken over de Effies.
Lees ze allemaal!

AVI nieuw: M3
AVI oud: 2

AVI nieuw: E3
AVI oud: 2

AVI nieuw: E3
AVI oud: 2

AVI nieuw: M4
AVI oud: 3

AVI nieuw: M4
AVI oud: 3

AVI nieuw: M4
AVI oud: 4

AVI nieuw: M4
AVI oud: 4

AVI nieuw: E4
AVI oud: 4

AVI nieuw: E4
AVI oud: 5

www.viviandenhollander.nl

www.saskiahalfmouw.nl